Tous lecteur
Document

Monuments célèbres

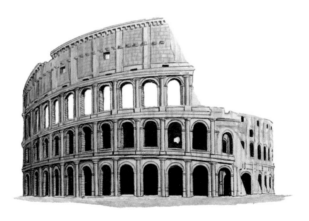

Robert Coupe

traduit par Prospérine Desmazures

hachette
ÉDUCATION

Sommaire

PAPIER À BASE DE FIBRES CERTIFIÉES

hachette s'engage pour l'environnement en réduisant l'empreinte carbone de ses livres. Celle de cet exemplaire est de : **250 g éq. CO$_2$** Rendez-vous sur www.hachette-durable.fr

ISBN : 978-2-01-117628-8

Copyright 2008 © Weldon Owen Pty Ltd.

Pour la présente édition, © Hachette Livre 2011, 43 quai de Grenelle, 75905 Paris Cedex 15.

Les hommes sont de grands bâtisseurs.
Ils construisent toutes sortes d'édifices*
pour se loger, se protéger, prier, se distraire.
La plupart sont ordinaires, mais certains
se distinguent par leur taille, leur beauté
ou leur originalité. Ce sont des monuments
célèbres dans le monde entier !

Le Parthénon

Dans l'Antiquité, les Grecs construisaient des maisons pour leurs dieux : les temples*. Il y a environ 2 500 ans, le peuple d'Athènes en a construit un immense pour la déesse Athéna* : c'est le Parthénon.

Une gigantesque statue d'Athéna se dressait à l'intérieur du Parthénon. Elle était en bois. Son visage, ses bras et ses pieds étaient recouverts d'ivoire et ses vêtements étaient en or. Cette statue n'existe plus aujourd'hui.

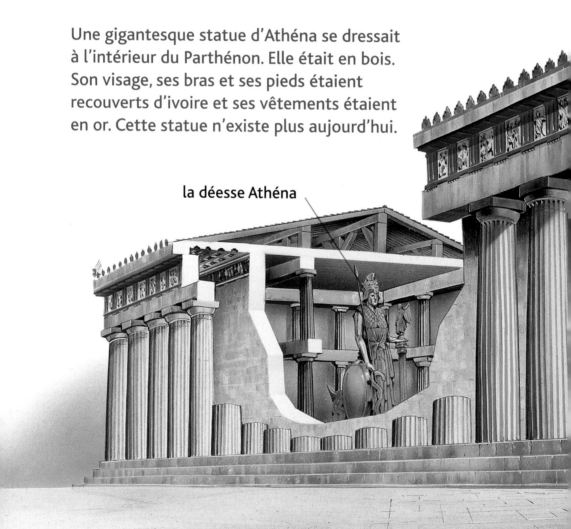

la déesse Athéna

Le sais-tu ?

Si tu vas à Athènes, tu pourras encore admirer le Parthénon. Mais une grande partie du temple a été détruite. La plupart des frises sculptées qui décoraient les façades* ont été transportées en Angleterre au XIXe siècle.

une frise

une colonne

Le Colisée

Le Colisée est un amphithéâtre* situé à Rome.
Dans l'Antiquité, des dizaines de milliers
de spectateurs venaient y assister à des combats
de gladiateurs*. Les combattants s'affrontaient
violemment jusqu'à la mort. Parfois, ils se battaient
contre des bêtes sauvages. Les vainqueurs
devenaient des héros.

Le sais-tu ?

Les gladiateurs étaient
souvent des esclaves
ou des prisonniers.
À certaines périodes,
il y avait des femmes
gladiateurs.

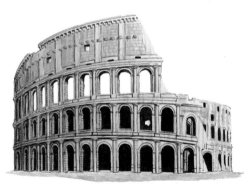

le Colisée de nos jours

La construction du Colisée
a duré 12 ans ! Elle s'est
achevée en 82 après Jésus-
Christ. Aujourd'hui en partie
détruit, cet édifice* reste
très impressionnant.

Le Panthéon de Rome

Dans l'Antiquité, les Romains ont construit un grand temple* appelé «Panthéon» pour honorer tous leurs dieux. Ce bâtiment, encore visible à Rome, a presque 2000 ans ! Ses murs sont en béton* recouvert de briques. Son toit est un immense dôme*.

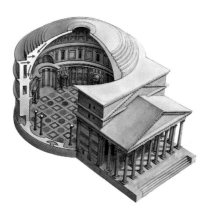

Les murs du Panthéon sont construits de façon très ingénieuse : plus ils prennent de la hauteur, plus ils sont légers. Des murs très lourds et résistants soutiennent le dôme, lui-même construit avec des matériaux plus légers. Grâce à cette technique de construction, l'édifice* est toujours intact.

La Cité interdite

La Cité interdite se trouve à Pékin (Beijing), en Chine. C'est un vaste ensemble de palais en bois construits il y a 600 ans. À l'époque, seuls l'empereur et ses proches pouvaient y pénétrer. Aujourd'hui, c'est un musée.

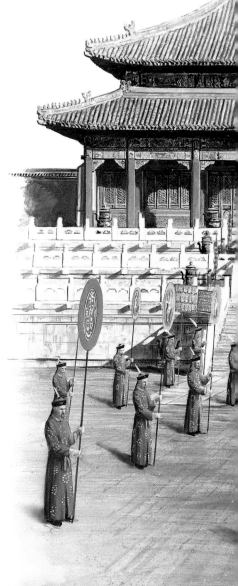

Des poutres en bois

Dans les palais de la Chine ancienne, les toits étaient soutenus par des poutres en bois posées sur des poteaux.

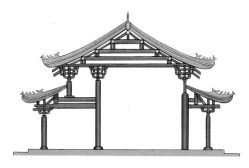

Ici, l'empereur est porté vers son trône dans la salle
de l'Harmonie Suprême de la Cité interdite.

Notre-Dame de Paris

La cathédrale* Notre-Dame se trouve à Paris,
sur l'île de la Cité, une île située au milieu
de la Seine. Elle a aujourd'hui
plus de 700 ans.
Elle est construite en grès*.
Ses murs sont percés
de larges vitraux*
très colorés.

Notre-Dame est une église
de style gothique.
Ses murs sont soutenus
par des arcs-boutants.
Ses façades* sont
décorées de nombreuses
sculptures et statues.

Les gargouilles

Les gargouilles
sont des statues qui
représentent des animaux
fantastiques. Un tuyau passe
à l'intérieur : il permet
d'évacuer l'eau de pluie
qui coule sur le toit
de la cathédrale.

un vitrail*

un arc-boutant

Le château de Conwy

C'est le roi d'Angleterre Édouard Ier qui a fait
construire le château de Conwy au pays de Galles.
Il voulait ainsi montrer son autorité sur ce pays
qu'il venait de conquérir. C'est un château
fort, protégé des attaques ennemies
par d'épais murs de pierre.
Sa construction s'est achevée en 1287.

un escalier en colimaçon

la chambre du roi

Le roi d'Angleterre
se rendait souvent
au château de Conwy.
Sa chambre se situait
dans l'une des huit
tours. Il organisait
des banquets
dans la grande salle.

la grande salle

des travaux
de réparation

La cour des Lions

Au centre de ce patio*, douze lions en marbre soutiennent la fontaine.

À Grenade, les étés sont très chauds. Pour créer de la fraîcheur, les nombreux patios du palais comportent des fontaines, des bassins, des arbres et des galeries ombragées.

L'Alhambra

L'Alhambra est un palais situé à Grenade, dans le Sud de l'Espagne. Il a été construit il y a plus de 700 ans par les musulmans*. Venus du Nord de l'Afrique, ils occupaient alors la région.

Le sais-tu ?

Alhambra signifie « la Rouge ».
Ce nom vient de la couleur rouge
que prennent ses murailles au coucher
du soleil. Pourtant, à l'origine,
ses murs étaient blancs !

la cour des Lions

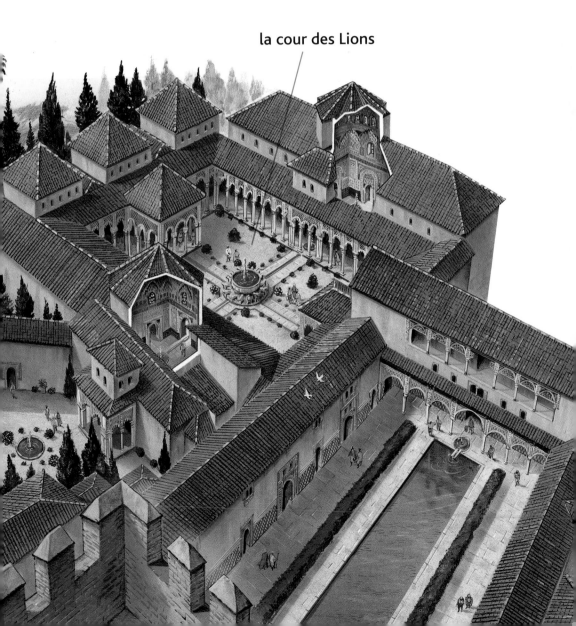

La basilique*
Saint-Pierre

La basilique Saint-Pierre a été construite à Rome
il y a 500 ans. Son entrée principale donne
sur une très grande place. Des milliers
de chrétiens* s'y rassemblent lors
des cérémonies religieuses.

une croix

Le dôme* de la basilique
Saint-Pierre ressemble
à celui du Panthéon
de Rome construit
1 500 ans plus tôt.

le dôme

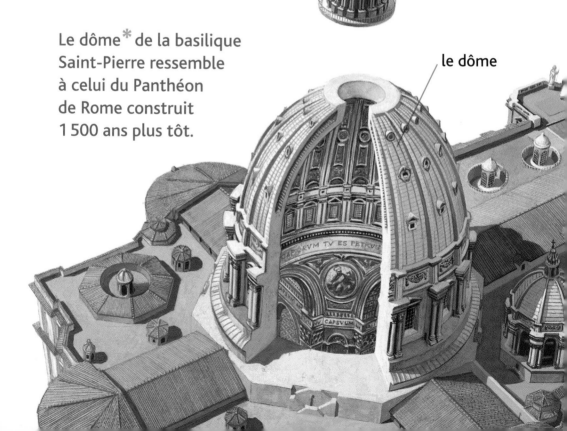

Un pays au cœur de la ville

La basilique Saint-Pierre fait partie de la cité du Vatican, un petit État à l'intérieur de la ville de Rome. Celui-ci est entouré de murs.

les jardins

la place
Saint-Pierre

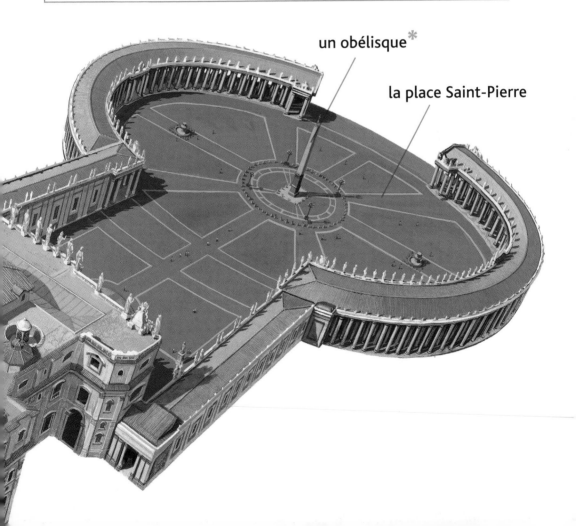

un obélisque*

la place Saint-Pierre

La cathédrale* Saint-Basile

La cathédrale Saint-Basile se trouve à Moscou, en Russie. Le tsar* Ivan IV a ordonné sa construction en 1554 pour célébrer une victoire militaire. L'église principale est entourée de huit chapelles*. Aujourd'hui très colorée, cette cathédrale était à l'origine peinte en blanc !

La cathédrale a des dômes* en forme de bulbe*. Cette forme particulière permet d'évacuer plus facilement la neige car, à Moscou, les chutes de neige sont très abondantes en hiver !

Le sais-tu ?

La cathédrale porte le nom d'un saint qu'on appelait « Basile le Bienheureux ». Il vivait à Moscou et il est mort au début de la construction de l'édifice*.

l'église principale

un dôme
en forme de bulbe

Le Taj Mahal

Le Taj Mahal est un magnifique mausolée*
de marbre blanc, situé au nord de l'Inde.
L'empereur Shâh Jahân l'a fait construire
pour honorer la mémoire de sa femme,
morte en 1631. Lorsqu'il est mort,
il a été enterré à ses côtés.

l'intérieur du Taj Mahal

Les quatre façades* du Taj Mahal
sont identiques. Ainsi, quel que
soit l'endroit d'où on le regarde,
le monument a le même aspect.

Le sais-tu ?

Le gigantesque dôme* du Taj Mahal mesure 61 mètres de haut. À l'intérieur se trouve un second dôme de 24 mètres de haut.

La Casa Milà

La Casa Milà est située à Barcelone, en Espagne.
C'est l'architecte* espagnol Antonio Gaudí
qui a dessiné ce curieux immeuble d'habitation.
Sa construction s'est achevée en 1910.
Ses murs de forme ondulée
sont sa principale originalité.

un balcon

Pour créer ce bâtiment,
Gaudí se serait inspiré
des mouvements de la mer.
Certains disent d'ailleurs
qu'il ressemble à une vague
transformée en pierre.

la terrasse sur le toit

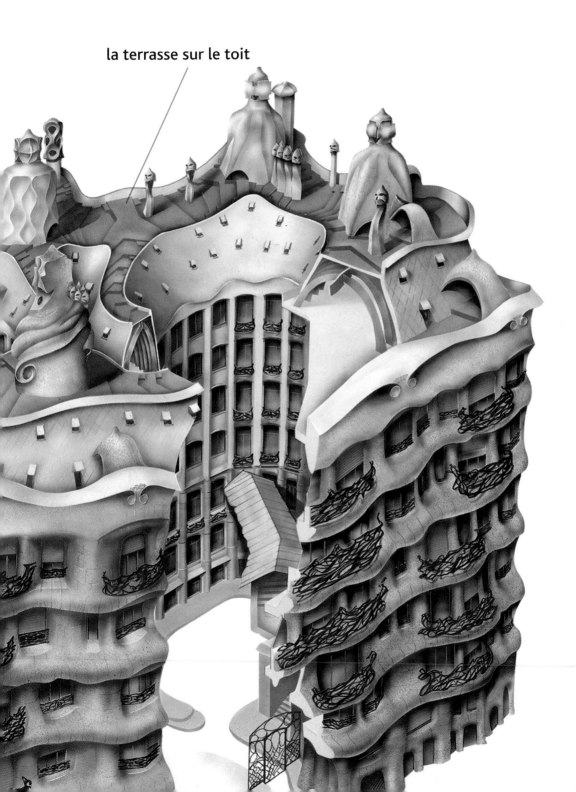

Le Guggenheim

Ce musée d'art moderne se trouve à New York, aux États-Unis. Il a été dessiné par l'architecte* Frank Lloyd Wright. De forme ronde, il est plus large en haut qu'en bas. Un toit de verre laisse passer la lumière. Les murs sont en béton armé*.

Le sais-tu ?

Le musée Guggenheim a six étages. Il a une structure en forme de spirale. Les visiteurs descendent par une rampe inclinée, du sixième étage au rez-de-chaussée, tout en admirant les œuvres accrochées le long du mur.

Le musée Guggenheim a un peu plus de 50 ans.

le toit en verre

la rampe inclinée

L'opéra de Sydney

Ce monument exceptionnel a été construit en bordure du port de Sydney en Australie entre 1958 et 1973.

Il est constitué de plusieurs « coquilles » de béton*, recouvertes de tuiles blanches. Sa forme fait penser aux voiles des bateaux.

L'opéra abrite une grande salle de concert et plusieurs salles de théâtre. Le petit bâtiment devant l'édifice* est un restaurant.

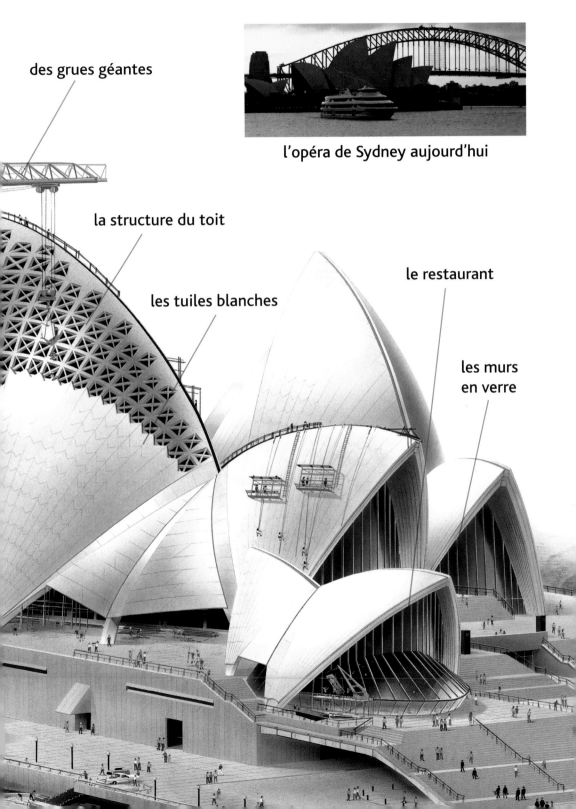

des grues géantes

l'opéra de Sydney aujourd'hui

la structure du toit

les tuiles blanches

le restaurant

les murs en verre

Quiz

Remets ces lettres dans le bon ordre, puis associe chaque mot à l'image qui lui correspond.

DRÉCHATLAE

UMÉES

UAEHCTÂ

TAPMHIÉÂTREH

Lexique

amphithéâtre : dans l'Antiquité, théâtre de forme circulaire ou ovale.

architecte : personne qui imagine des bâtiments et réalise des plans pour les construire.

Athéna : déesse de la Guerre et de la Sagesse chez les Grecs, dans l'Antiquité.

basilique : grande église.

béton : matériau de construction dont la composition varie selon les époques (sable, gravier, ciment...).

béton armé : béton renforcé par des tiges métalliques.

bulbe : partie de certaines plantes qui reste sous terre quand la plante pousse.

cathédrale : très grande église.

chapelle : petite église ou partie d'une grande église.

chrétien : personne qui pratique la religion chrétienne.

dôme : toit de forme arrondie.

édifice : bâtiment.

façade : mur extérieur d'un bâtiment.

gladiateur : personne qui combattait un autre gladiateur ou une bête sauvage dans la Rome antique.

grès : roche constituée de grains de sable soudés, utilisée pour la construction.

mausolée : grand monument qui abrite un ou plusieurs morts, tombeau.

musulman : personne qui a pour religion l'islam.

obélisque : colonne de pierre à quatre faces, qui se termine par une pointe.

patio : cour intérieure.

temple : bâtiment destiné à un dieu ou une déesse.

tsar : empereur en Russie.

vitrail (*pl. = vitraux*) : vitre composée de nombreux morceaux de verre colorés.

Achevé d'imprimer en Italie par L.E.G.O. S.p.A.
Dépôt légal : Mai 2013 - Collection n° 36 - Édition n° 02
11/7628/8

Crédits photographiques : 16 : iStock ; 13, 22, 26, 29 : Shutterstock
Mise en pages : Cyrille de Swetschin